## CHANSONS ET RONDES POUR S'AMUSER

Direction éditoriale : Guylaine Girard
Direction artistique : Gianni Caccia
Direction de la production : Carole Ouimet
Réalisation des portées musicales : Jean Fitzgerald
Arrangements musicaux, direction des chanteurs,
programmation et enregistrement de la musique : Patrice Dubuc
Interprètes : Julie Leblanc, Catherine Léveillé, Vincent Morel et José Paradis.
Enregistré chez Audio Z en septembre 2002.
Prise de son des chanteurs : Éric Lebœuf
Mixage final : Luc Thériault et Éric Lebœuf
Patrice Dubuc tient à remercier toute l'équipe d'Audio Z.

Chansons des pages 12, 13, 14, 15, 40, 41, 42, 43, 62, 63, 64, 65, 88, 89, 90, 91, 102, 103
illustrées par Geneviève Côté.

Chansons des pages 36, 37, 38, 39, 44, 45, 76, 77, 82, 83, 112, 113, 114, 115
illustrées par Normand Cousineau.

Chansons des pages 20, 21, 22, 23, 50, 51, 66, 67, 68, 69, 84, 85, 100, 101, 108, 109
illustrées par Marie Lafrance.

Chansons des pages 24, 25, 26, 27, 29, 56, 57, 58, 59, 60, 61, 78, 79, 80, 81, 92, 93
illustrées par Luc Melanson.

Chansons des pages 10, 11, 34, 35, 52, 53, 54, 55, 70, 86, 87, 98, 99, 104, 105, 110, 111
illustrées par Mylène Pratt.

Chansons des pages 8,9, 17, 18, 19, 30, 32, 33, 47, 48, 49, 73, 74, 75, 94, 95, 96, 97, 106, 107
illustrées par Michel Rabagliati.

Illustration de couverture : Normand Cousineau

*Choisies par*

**HENRIETTE MAJOR**

# Chansons et rondes pour s'amuser

*Illustrées par*

Geneviève Côté, Normand Cousineau, Marie Lafrance, Luc Melanson, Mylène Pratt et Michel Rabagliati

*Arrangements musicaux*

Patrice Dubuc

**FIDES**

HENRIETTE MAJOR
100
comptines
Fides
CD

HENRIETTE MAJOR
Chansons
drôles
chansons
folles
Fides
CD

**Déjà parus
aux Éditions Fides**

HENRIETTE MAJOR
Chansons
douces
Chansons
tendres
Fides
CD

*Données de catalogage avant publication (Canada)*

Major, Henriette, 1933-

Chansons et rondes pour s'amuser (ensemble multi-supports)
Pour enfants.

ISBN 2-7621-2414-X (livre avec disque compact)

1. Chansons enfantines.
2. Chansons folkloriques françaises — Ouvrages pour la jeunesse.
3. Danse pour enfants.
4. Mime — Ouvrages pour la jeunesse.
I. Titre.

M1922.R77 2002 J782.42162 C2002-941354-0

Dépôt légal: 4$^{e}$ trimestre 2002
Bibliothèque nationale du Québec


Les Éditions Fides remercient le ministère du Patrimoine canadien du soutien qui leur est accordé dans le cadre du Programme d'aide au développement de l'industrie de l'édition. Les Éditions Fides remercient également le Conseil des Arts du Canada et la Société de développement des entreprises culturelles du Québec (SODEC). Les Éditions Fides bénéficient du Programme de crédit d'impôt pour l'édition de livres du Gouvernement du Québec, géré par la SODEC.

*Imprimé au Canada*

# Présentation

« Nous n'irons plus au bois », « Sur le pont d'Avignon », « Savez-vous planter les choux ? », ces airs évoquent les cours d'école et les terrains de jeux, là où, il n'y a pas si longtemps, on les passait d'une génération d'enfants à l'autre...

Malheureusement, ces dernières années, on a pu constater une certaine rupture dans la transmission de ces chansons traditionnelles et des gestes qui les accompagnent souvent. La sélection proposée dans ces pages contribuera à sortir de l'oubli des chansons d'une richesse intemporelle. Les adultes les redécouvriront avec émotion et les enfants avec bonheur car, malgré son caractère vieillot, ce répertoire a toujours le don d'enchanter et d'amuser.

Comme il s'agit de tradition orale, vos versions des paroles et des gestes sont aussi valables que celles retenues dans ce recueil.

« Entrez dans la danse ! Voyez comme on danse... »

*Henriette Major*

# Faisons la ronde

# J'aime la galette

J'ai - me la ga - let - te, Sa - vez - vous com - ment? Quand elle est bien
faite A - vec du beurre de - dans. Tra la la la la la la la lè - re Tra la la la la la la la
la. Tra la la la la la la la lè - re Tra la la la la la la la la.

***Tous en rond, main dans la main.***

J'aime la galette, — *Tous avancent vers le centre du cercle en levant les bras.*
Savez-vous comment? — *Tous reculent en baissant les bras.*
Quand elle est bien faite — *Même jeu que pour les deux premières lignes.*
Avec du beurre dedans.

*Refrain*

**Tra la la la la la la la lère** — *La ronde tourne vers la droite.*
**Tra la la la la la la la la.**
**Tra la la la la la la la lère** — *La ronde tourne vers la gauche.*
**Tra la la la la la la la la.**

# Nous n'irons plus au bois

Nous n'i - rons plus au bois, Les lau - riers sont cou - pés. La bel - le
que voi - là, La lais - s'rons - nous dan - ser? En - trez dans la dan - se,
Vo - yez, comme on dan - se. Sau - tez, dan - sez, Em - bras - sez qui vous vou - drez!

***On forme une ronde en se tenant par la main.***
***La « belle » est en dehors du cercle.***

Nous n'irons plus au bois,
Les lauriers sont coupés.
La belle que voilà,
La laiss'rons-nous danser?

*On tourne en rond.*

*Refrain*

**Entrez dans la danse,**
**Voyez, comme on danse.**
**Sautez, dansez,**
**Embrassez qui vous voudrez !**

*La ronde s'arrête. Des enfants lèvent les bras pour laisser entrer la belle, qui, après avoir exécuté un petit pas, va embrasser celui ou celle qui prendra sa place en dehors de la ronde. L'ancienne « belle » rejoint alors le groupe.*

Mais les lauriers du bois,
Les laiss'rons-nous faner?
Non, chacun à son tour
Ira les ramasser.

Si la cigale y dort,
Ne faut pas la blesser.
Le chant du rossignol
Viendra la réveiller.

Cigale, ô ma cigale,
Allons, il faut chanter,
Car les lauriers des bois
Sont déjà repoussés.

# Ah ! si mon moine

Ah! si mon moi-ne vou - lait dan-ser! Ah! si mon moi-ne vou - lait dan-ser! Un
ca-pu-chon je lui don-ne-rais. Un ca-pu-chon je lui don-ne-rais. Dan-se, mon moine, dan-se, Tu
n'en-tends pas la dan-se. Tu n'en-tends pas mon mou - lin, lon la, Tu n'en-tends pas mon moulin mar-cher. Tu n'en-tends pas mon mou - lin, lon la, Tu n'en-tends pas mon mou - lin mar-cher.

***On forme une ronde en se tenant par la main.***

Ah! si mon moine voulait danser ! (*bis*) — *La ronde tourne vers la droite.*

Un capuchon je lui donnerais. (*bis*) — *La ronde tourne vers la gauche.*

*Refrain*

**Danse, mon moine, danse,**
**Tu n'entends pas la danse.**
**Tu n'entends pas mon moulin, lon la,** } *bis*
**Tu n'entends pas mon moulin marcher.** }

*On forme des couples. Chaque couple se tient par le bras droit et tourne sur place. Les couples changent de bras et tournent dans l'autre sens.*

Ah! si mon moine voulait danser ! (*bis*)
Un ceinturon je lui donnerais. (*bis*)

*(À chaque couplet et à chaque refrain, on répète les pas décrits précédemment.)*

*Refrain*

Ah! si mon moine voulait danser ! (*bis*)
Un chapelet je lui donnerais. (*bis*)

*Refrain*

S'il n'avait fait vœu de pauvreté, (*bis*)
Bien d'autres chos' je lui donnerais. (*bis*)

Fermé

# La boulangère

La bou - lan - gère a des é - cus qui ne lui coû - tent guè -
re. La bou - lan - gère a des é - cus qui ne lui coû - tent guè - re. Elle en
a, je les ai vus! J'ai vu la bou - lan - gère aux é - cus, J'ai vu la bou - lan - gè -
re. J'ai vu la bou - lan - gère aux é - cus, J'ai vu la bou - lan - gè - re.

***Tous en rond, se tenant par la main.***

La boulangère a des écus qui ne lui coûtent guère. — *La ronde tourne vers la droite.*

La boulangère a des écus qui ne lui coûtent guère. — *La ronde tourne vers la gauche.*

Elle en a, je les ai vus! — *La ronde arrêtée, chacun remue l'index comme pour réprimander quelqu'un.*

J'ai vu la boulangère aux écus,<br>
J'ai vu la boulangère. } *bis* — *On forme des couples. Chaque couple, se tenant par le bras, tourne sur place dans un sens, puis dans l'autre.*

– D'où viennent donc tous ces écus,
Charmante boulangère? } *bis*
– De tous les pains que j'ai vendus.
Et qui font bien l'affaire, vois-tu,
Et qui font bien l'affaire. } *bis*

*La ronde arrêtée, chacun met les poings sur les hanches.*

À mon four aussi sont venus
De galants militaires. } *bis*
Je préfère les hurluberlus
À tous les gens de guerre, vois-tu,
À tous les gens de guerre. } *bis*

*La ronde arrêtée, chacun se frappe le front.*

*Variante : au lieu de tourner sur place à « J'ai vu la boulangère... », on fait la chaîne anglaise.*

# La laine des moutons

La lai - ne des mou - tons, C'est nous qui la ton - dai - ne. La
lai - ne des mou - tons, C'est nous qui la ton - dons. Ton - dons, ton - dons, La
lai - ne des mou - tai - nes. Ton - dons, ton - dons, La lai - ne des mou - tons.

***En rond, par couples. Les couples se font face, les mains au dos.***

La laine des moutons,
C'est nous qui la tondaine.
La laine des moutons,
C'est nous qui la tondons.

*Suivant le rythme de la chanson, chaque partenaire fait un pas vers la droite pour reprendre aussitôt sa place ; même déplacement vers la gauche.*

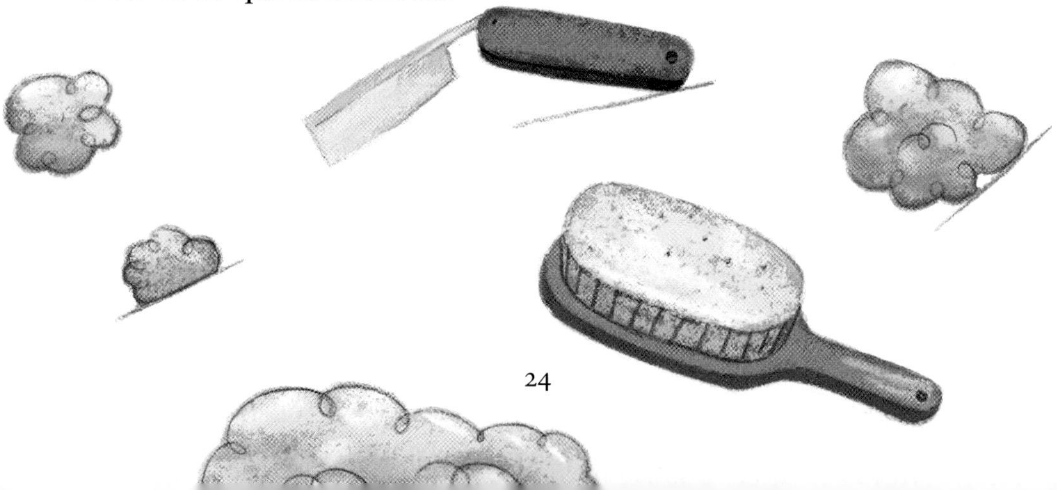

*Refrain*

**Tondons, tondons,**
**La laine des moutaines.**
**Tondons, tondons,**
**La laine des moutons.**

*Face à face, les partenaires se prennent par la main. Ils continuent les pas d'avant en arrière, vers la droite puis vers la gauche, en allongeant les bras à chaque pas.*

La laine des moutons,
C'est nous qui la lavaine.
La laine des moutons,
C'est nous qui la lavons.

*À chaque couplet, chaque danseur avance d'un pas et exécute les figures avec une nouvelle partenaire.*

*Refrain*

**Lavons, lavons,**
**La laine des moutaines.**
**Lavons, lavons,**
**La laine des moutons.**

… C'est nous qui la cardaine…
… C'est nous qui la cardons…

… C'est nous qui la filaine…
… C'est nous qui la filons…

… C'est nous qui la chantaine…
… C'est nous qui la chantons…

# Les gars de Locminé

Mon père et ma mè - re, d'Loc - mi - né ils sont. Ils ont fait pro - mes - se
qu'ils me ma - rie - ront. Sont, sont, sont les gars de Loc - mi - né Qui
1. 2.
ont de la mail - let - te, Sens des - sus des - sous. let - te des - sous leurs sou - liers.

*Tous forment une ronde en se tenant par la main.*

Mon père et ma mère, d'Locminé ils sont. (*bis*)
Ils ont fait promesse qu'ils me marieront. (*bis*)

*La ronde se fait dans un sens, puis dans l'autre.*

*Refrain*

**Sont, sont, sont les gars de Locminé**
**Qui ont de la maillette,**
**Sens dessus dessous. You!**
**Sont, sont, sont les gars de Locminé**
**Qui ont de la maillette dessous leurs souliers.**

*Face au centre, les mains sur le hanches, pied droit en avant, o saute sur place.*
*À « You », on frappe des mains.*

*Même jeu, en changeant de pie*

S'ils ne me marient, s'en repentiront. (*bis*)
Je vendrai mes terres, sillon par sillon. (*bis*)

*Refrain*

Et sur la dernière, bâtirai maison. (*bis*)
Et si le Roi passe, nous l'inviterons! (*bis*)

*Refrain*

far
farin
far
ne

# Meunier, tu dors

1.
2.
Meu - nier, tu dors, Ton mou - lin va trop vi - te; Meu fort.
1.
Ton mou - lin, ton mou - lin Va trop vi - te, Ton mou - lin, ton mou - lin Va trop fort.
2.
Ton mou - lin, ton mou - lin Va trop fort. Trois ca - nards dé - ploy - ant leurs
ailes Coin, coin, coin, Di - saient à leurs canes fi - dèles: Coin, coin, coin, «Quand donc fi - ni - ront
nos tour - ments? Coin, coin, coin, Quand donc fi - ni - ront nos tour - ments? Coin, coin, coin, coin.»

*Refrain*

**Meunier, tu dors,**
**Ton moulin va trop vite;**
**Meunier, tu dors,**
**Ton moulin va trop fort.**
**Ton moulin, ton moulin**
**Va trop vite,**
**Ton moulin, ton moulin**
**Va trop fort.**

*bis*

***On forme deux rondes, l'une dans l'autre, chacune ayant un nombre égal de danseurs. Ceux de la ronde intérieure passent leurs mains liées par-dessus la tête de ceux qui sont derrière. On forme ainsi une ronde très serrée.***

*Chacun se balance de gauche à droite au rythme de la chanson.*

*On tourne en faisant des petits pas de côté de plus en plus rapides et toujours dans le même sens.*

Trois canards déployant leurs ailes
Coin, coin, coin,
Disaient à leurs canes fidèles:
Coin, coin, coin,
« Quand donc finiront nos tourments?
Coin, coin, coin,
Quand donc finiront nos tourments?
Coin, coin, coin, coin. »

*Refrain*

*Mains toujours liées, on lève les bras le plus haut possible. À « coin, coin, coin », on baisse les bras lentement. On répète ces mouvements jusqu'à la fin du couplet.*

# Savez-vous planter les choux?

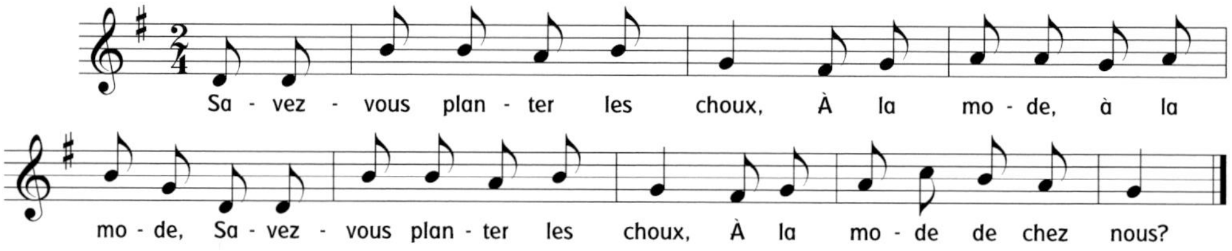
Sa - vez - vous plan - ter les choux, À la mo - de, à la
mo - de, Sa - vez - vous plan - ter les choux, À la mo - de de chez nous?

*On forme une ronde en se tenant par la main.*

Savez-vous planter les choux,
À la mode, à la mode,
Savez-vous planter les choux,
À la mode de chez nous?

*On tourne en rond.*

On les plante avec les pieds,
À la mode, à la mode,
On les plante avec les pieds,
À la mode de chez nous.

*La ronde s'arrête. On tape du pied.*

On les plante avec les g'noux…

*La ronde s'arrête. On fait mine de frapper par terre avec son genou.*

… avec le coude…
… avec le nez…
… avec la tête…

*(Pour chacun des autres couplets, on mime le geste décrit.)*

*Etc.*

# Le fermier dans son pré

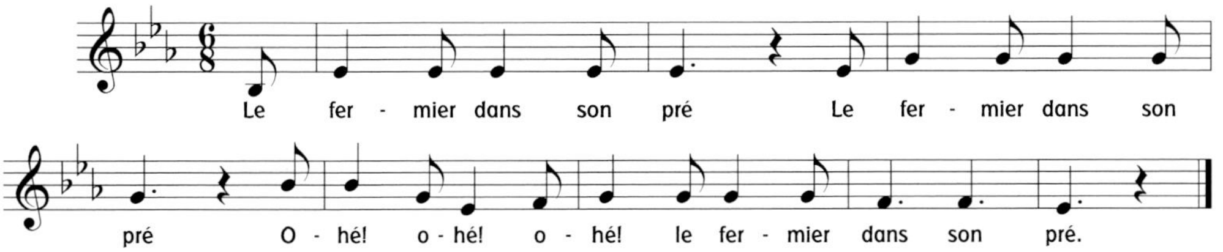
Le fer - mier dans son pré Le fer - mier dans son
pré O - hé! o - hé! o - hé! le fer - mier dans son pré.

*On forme une ronde en se tenant par la main. On désigne au hasard le «fermier» qui se place au centre du cercle.*

Le fermier dans son pré (*bis*)
Ohé ! ohé ! ohé ! le fermier dans son pré.

*On tourne autour du fermier.*

Le fermier prend sa femme (*bis*)
Ohé ! ohé ! ohé ! le fermier prend sa femme.

*La ronde s'arrête. Le fermier désigne sa «femme» qui vient le rejoindre au centre.*

La femme prend son enfant (*bis*)
Ohé ! ohé ! ohé ! la femme prend son enfant.

*Pour tous les couplets suivants, le dernier arrivé désigne celui qui rejoindra le groupe au centre.*

L'enfant prend sa nourrice…

La nourrice prend son chien…

Le chien prend son p'tit chat…

Le chat prend la souris…

La souris prend l'fromage…

Le fromage est battu.

*Dès qu'il y a huit enfants au centre, la ronde s'arrête, ou bien on la reprend à partir du deuxième couplet jusqu'à ce qu'il y ait plus d'enfants au centre que dans la ronde.*

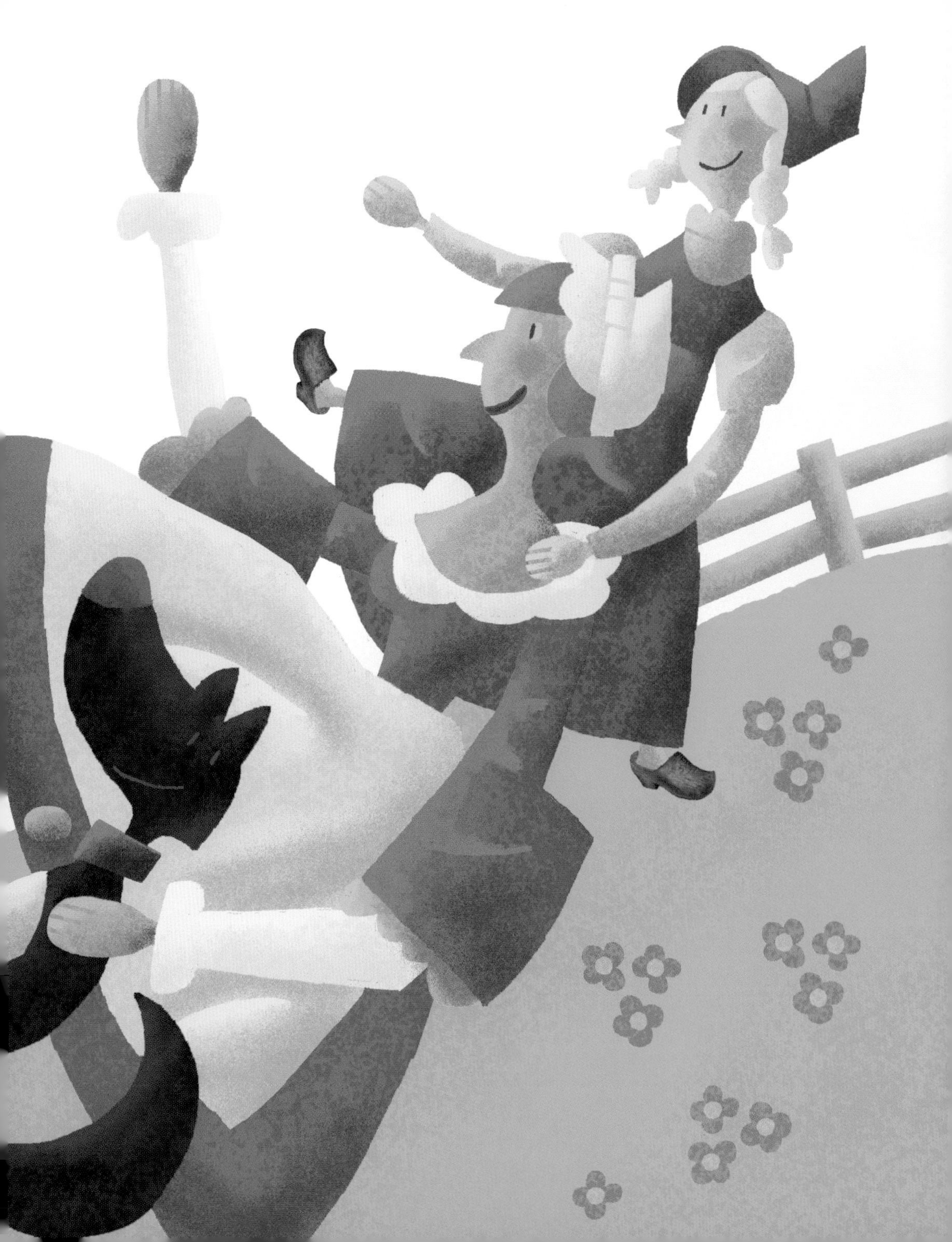

# Chansons à mimer

# Ainsi font, font, font

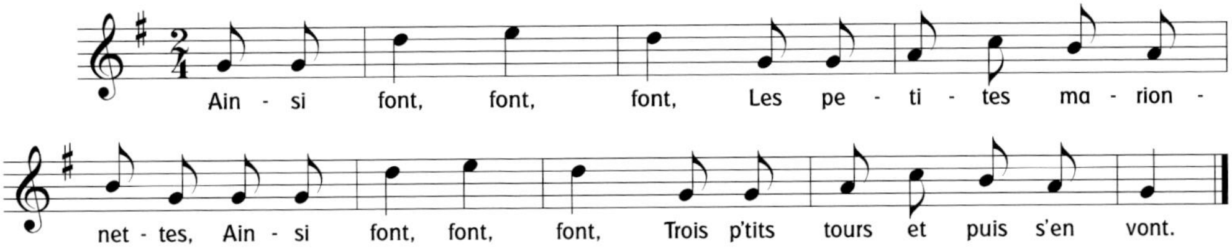
Ain - si font, font, font, Les pe - ti - tes ma - rion -
net - tes, Ain - si font, font, font, Trois p'tits tours et puis s'en vont.

*Refrain*

**Ainsi font, font, font,**
**Les petites marionnettes,**
**Ainsi font, font, font,**

*Mains à la hauteur des épaules, paumes en dehors, qu'on balance de gauche à droite.*

**Trois p'tits tours et puis s'en vont.**

*On tourne sur soi-même.*

Les mains aux côtés,

*On joint le geste à la parole.*

Marionnettes, marionnettes,
Les mains aux côtés,
Marionnettes, sautez, sautez.

*On saute sur place.*

Les mains sur les pieds,
Marionnettes, marionnettes,
Les mains sur les pieds,
Marionnettes, sautez, sautez.

*On joint le geste à la parole.*

*Refrain*

# Un petit pouce qui marche

Un p'tit pouce qui mar - che Un p'tit pouce qui mar - che
Un p'tit pouce qui marche Et ça suf - fit pour s'a - mu - ser!

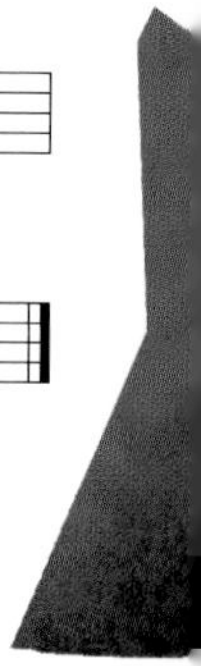

Un p'tit pouce qui marche (*ter*)
Et ça suffit pour s'amuser!
Deux p'tits pouces qui marchent (*ter*)
Et ça suffit pour s'amuser!

Une p'tite main…
Deux p'tites mains…

Un p'tit bras…
Deux p'tits bras…

Une épaule…
Deux épaules…

Un p'tit pied…
Deux p'tits pieds…

Une p'tite tête…

*Tout au long de la chanson, on fait bouger tour à tour les parties du corps désignées.*

*On peut aussi répéter à chaque couplet toutes les parties du corps désignées précédemment et en ajouter une chaque fois.*

# Michaud est tombé

Mi - chaud est mon-té dans un peu-pli-er. Mi - chaud est mon-té dans un peu-pli-er.
La branche a cas-sé, Mi-chaud est tom-bé. Où donc est Mi-chaud? Mi - chaud est su'l'-dos!
1.
2.
Ah! re - lè-ve, re-lè-ve, re - lè-ve, Ah! re - lè-ve, re-lè-ve, Mi - chaud!
chaud!

*On forme un cercle. Au centre, un enfant mime les actions de Michaud. Pendant ce temps...*

Michaud est monté dans un peuplier.
Michaud est monté dans un peuplier. } *bis*

*Tout le monde regarde en haut, main en visière.*

La branche a cassé,

*On met les mains sur les oreilles.*

Michaud est tombé.

*Tout le monde regarde par terre.*

Où donc est Michaud ?
Michaud est su'l'dos!

*On met la main sur la bouche.*

*Refrain*

**Ah! relève, relève, relève,**
**Ah ! relève, relève, Michaud!** } *bis*

*«Michaud» se relève et désigne l'enfant qui prendra sa place.*

Michaud est monté dans un grand pommier…

*Refrain*

Michaud est monté dans un cerisier…

*Refrain*

Michaud est monté dans un grand prunier…

*Refrain*

# Dans la Garde nationale

To Coda
Dans la Gar - de na - tio - na - le, C'est pa - pa qui joue des cym - bales.
Il ac - com - pa - gne tou - jours La grosse cais - se et le tam - bour. Zim la la Zim la la
Les cym - ba - les, les cym - bales, Zim la la Zim la la Les cym - ba - les de pa - pa.
D.C. al Coda
3
Comme pa - pa, je veux un jour Me te - nir près du tam - bour.

Dans la Garde nationale,
C’est papa qui joue des cymbales.
Il accompagne toujours
La grosse caisse et le tambour.

*On marque le pas en balançant les bras.*

Zim la la
Zim la la
Les cymbales, les cymbales,
Zim la la
Zim la la
Les cymbales de papa.

*On imite le jeu des cymbales en faisant glisser les mains l’une sur l’autre verticalement.*

Dans la Garde nationale,
C’est papa qui joue des cymbales.
Comm’ papa, je veux un jour
Me tenir près du tambour.

*Même marche qu’au premier couplet.*

# Bonhomme, bonhomme

Bon - homme, bon - homme, sais - tu jou - er? Bon - homme, bon -
homme, sais - tu jou - er? Sais - tu jou - er de ce vio - lon - là? Sais - tu jou -
er de ce vio - lon - là? Zing, zing, zing, de ce vio - lon - là. Bon - homme!
Tu n'es pas maître dans ta mai - son Quand nous y som - mes.

Bonhomme, bonhomme, sais-tu jouer ? (*bis*)
Sais-tu jouer de ce violon-là ? (*bis*)
Zing, zing, zing, de ce violon-là.

*Refrain*

**Bonhomme !**
**Tu n'es pas maître dans ta maison**
**Quand nous y sommes.**

Bonhomme, bonhomme, sais-tu jouer ? (*bis*)
Sais-tu jouer de cette flûte-là ? (*bis*)
Flûte, flûte, flûte, de cette flûte-là.
Zing, zing, zing, de ce violon-là.

*Refrain*

*On se place en rond. On imite chaque instrument à mesure qu'on le nomme, en reprenant chaque fois l'énumération depuis le début. Ceux qui se trompent d'instrument sont éliminés.*

Bonhomme, bonhomme, sais-tu jouer? (*bis*)
Sais-tu jouer de ce tambour-là? (*bis*)
Boum, boum, boum, de ce tambour-là.
Flûte, flûte, flûte, de cette flûte-là.
Zing, zing, zing, de ce violon-là.

*Refrain*

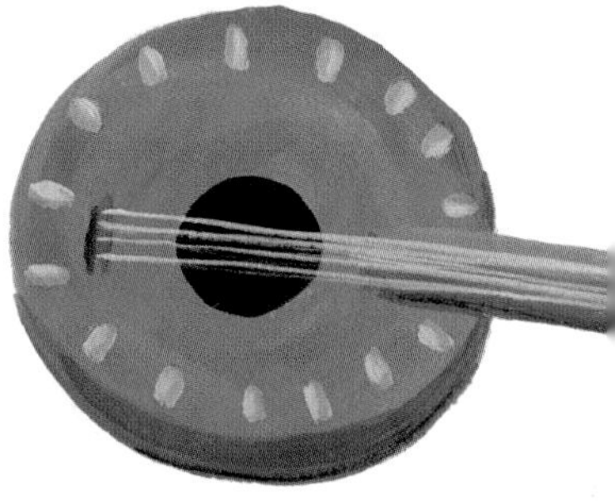

… de ce cornet-là?
Taratata, de ce cornet-là…

*Refrain*

… de cette bouteille-là?
Glou, glou, glou, de cette bouteille-là…

*Refrain*

# L'empereur et le petit prince

Lun - di ma - tin, L'em - p'reur, sa femme et le p'tit prin - ce Sont ve - nus chez
moi Pour me ser - rer la pin - ce. Mais comm' j'é - tais par - ti, Le
pe - tit prince a dit : «Puis - que c'est ain - si, Nous re - vien - drons mar - di.»

Lundi matin,
L'emp'reur, sa femme et le p'tit prince
Sont venus chez moi
Pour me serrer la pince.
Mais comm' j'étais parti,
Le petit prince a dit:
« Puisque c'est ainsi,
Nous reviendrons mardi. »

*À « emp'reur », on lève le bras pour désigner quelqu'un de très grand ; à « sa femme », on baisse un peu le bras ; à « p'tit prince », on indique la taille d'un enfant.*

*Chacun se désigne.*

*Geste de serrer la main à quelqu'un.*

*Mains sur les hanches.*

Mardi matin,
L'emp'reur, sa femme et le p'tit prince
Sont venus chez moi
Pour me serrer la pince.
Mais comm' j'étais parti,
Le petit prince a dit:
«Puisque c'est ainsi,
Nous reviendrons mercredi.»

Mercredi matin…

*Continuer avec tous les jours de la semaine.*

*Après avoir énuméré tous les jours de la semaine, on termine ainsi :*

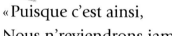

«Puisque c'est ainsi,
Nous n'reviendrons jamais!»

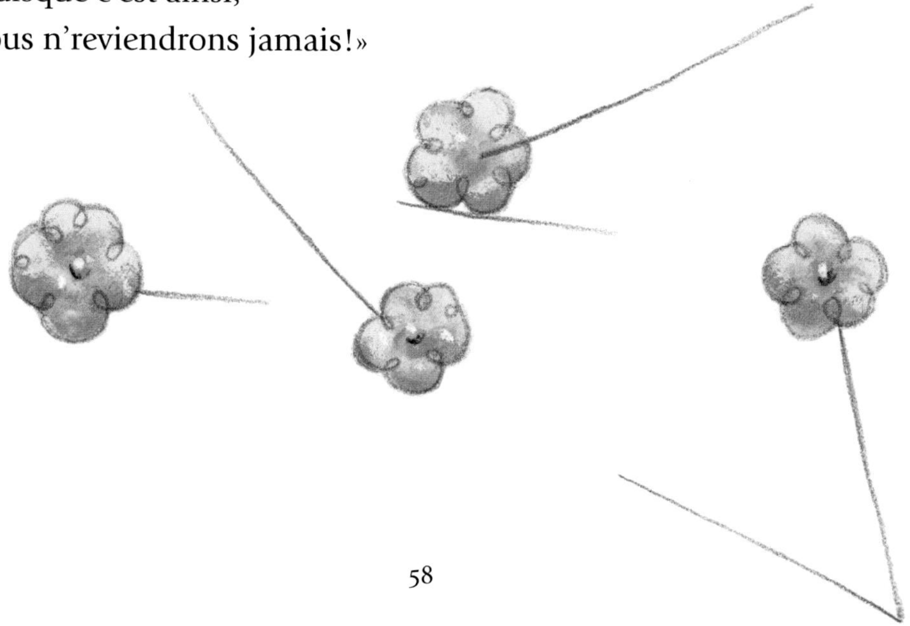

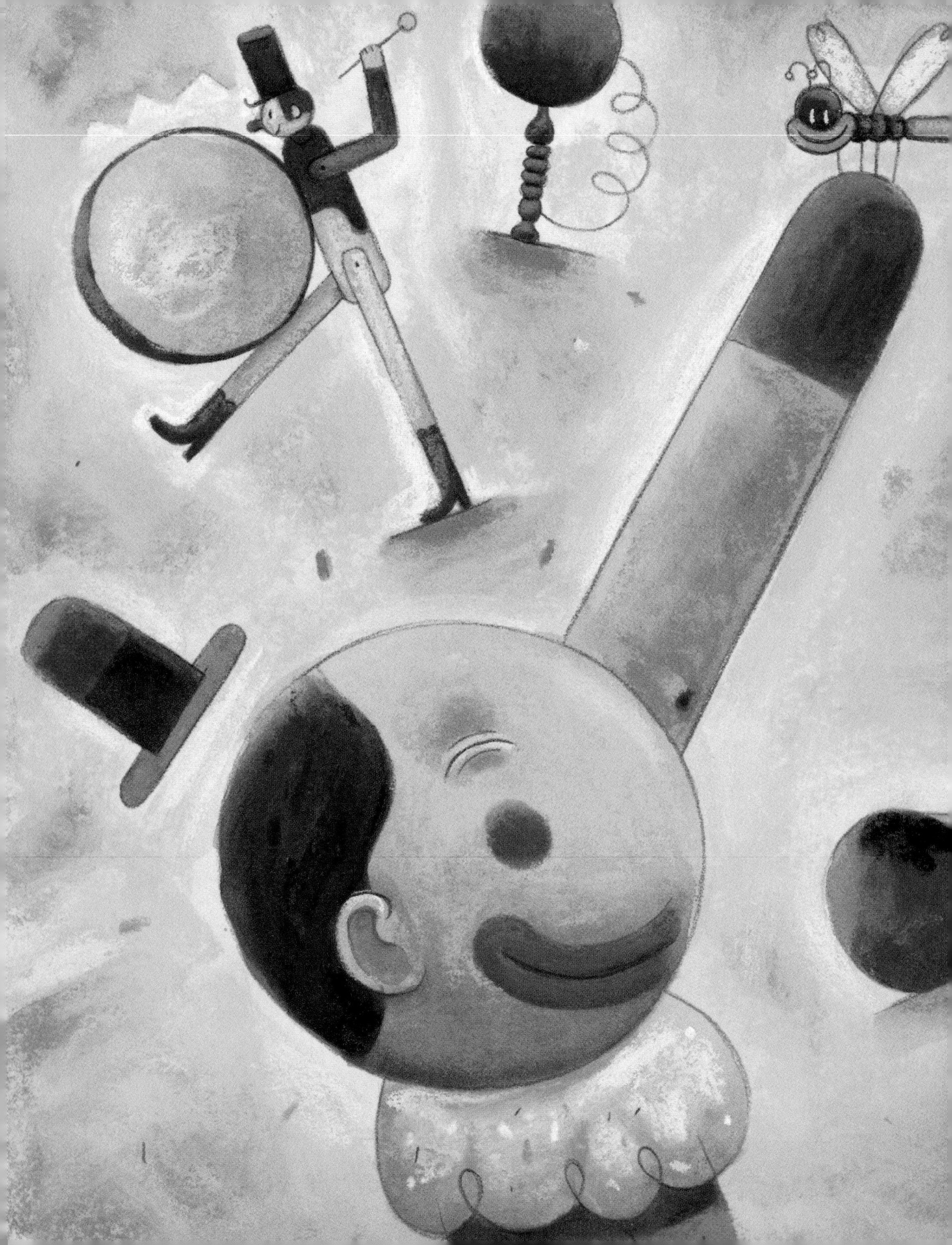

# Chansons pour jouer

# Sur le pont d'Avignon

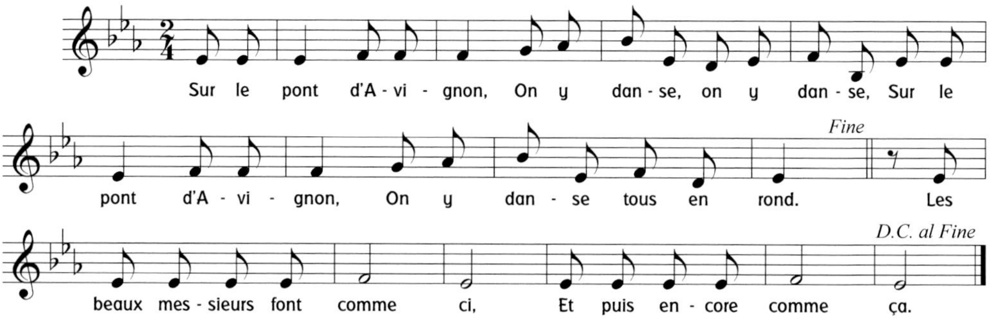
Sur le pont d'A - vi - gnon, On y dan - se, on y dan - se, Sur le
Fine
pont d'A - vi - gnon, On y dan - se tous en rond. Les
D.C. al Fine
beaux mes - sieurs font comme ci, Et puis en - core comme ça.

***Garçons et filles forment deux rondes concentriques se faisant face.***

*Refrain*

**Sur le pont d'Avignon,**
**On y danse, on y danse,**
**Sur le pont d'Avignon,**
**On y danse tous en rond.**

*Les deux rondes tournent en sens opposés.*

*À chaque couplet, les rondes s'arrêtent.*

Les beaux messieurs font comme ci,
Et puis encore comme ça.

*Les garçons font mine de lever leur chapeau. Ils font un salut militaire.*

Les belles dames font comme ci,
Et puis encore comme ça.

*Les filles font la révérence, d'abord à droite, puis à gauche.*

Les bergers font comme ci,
Et puis encore comme ça.

Les bergères font comme ci,
Et puis encore comme ça.

*Même jeu pour les autres couplets.*

*Variante : on peut placer les joueurs sur deux rangées qui se font face. Au refrain, chaque rangée avance de quatre pas et recule d'autant.*

# J'ai un beau château

J'ai un beau châ - teau, Ma tant' ti - re, li - re,
li - re, J'ai un beau châ - teau, Ma tant' ti - re, li - re, lo.

*On forme deux rondes concentriques ayant le même nombre de joueurs. On nomme un chef pour la ronde extérieure.*

J'ai un beau château,
Ma tant' tire, lire, lire,
J'ai un beau château,
Ma tant' tire, lire, lo.

*1. La ronde extérieure tourne pendant que l'autre reste immobile.*

Le nôtre est plus beau,
Ma tant' tire, lire, lire,
Le nôtre est plus beau,
Ma tant' tire, lire, lo.

*2. La ronde intérieure tourne pendant que l'autre reste immobile.*

| | |
|---|---|
| Nous le détruirons… | *Retour à 1.* |
| Comment ferez-vous ?… | *Retour à 2.* |
| Nous prendrons une pierre… | *Retour à 1.* |
| Laquelle prendrez-vous ?… | *Retour à 2.* |
| Ce sera Marie… (*ou tout autre nom*) | *Le chef désigne un enfant qui passe dans le cercle extérieur.* |

*On recommence jusqu'à ce que tous les enfants du cercle intérieur soient passés dans le cercle extérieur.*

*Variante : les deux groupes forment deux rangs qui se font face en se tenant par la main. Ils avancent et reculent à tour de rôle. Au lieu de changer de ronde, l'enfant désigné change de rang.*

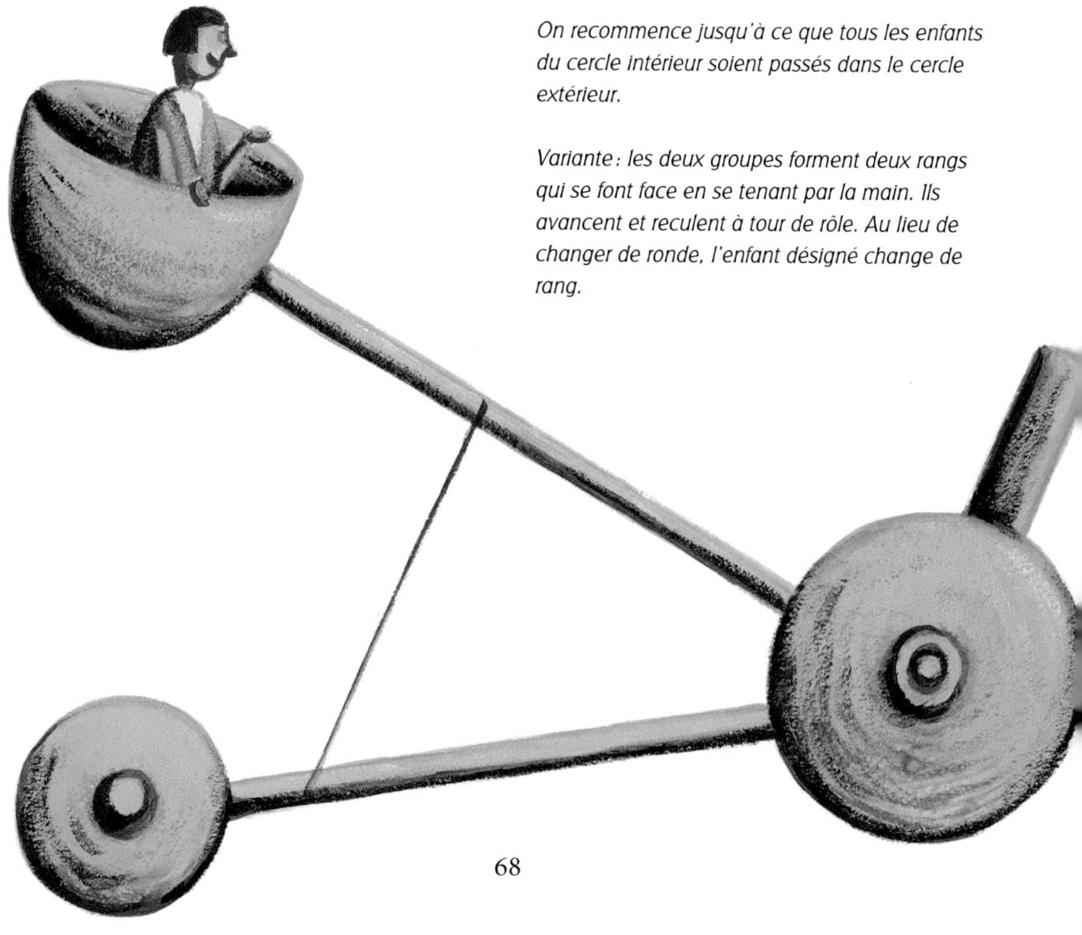

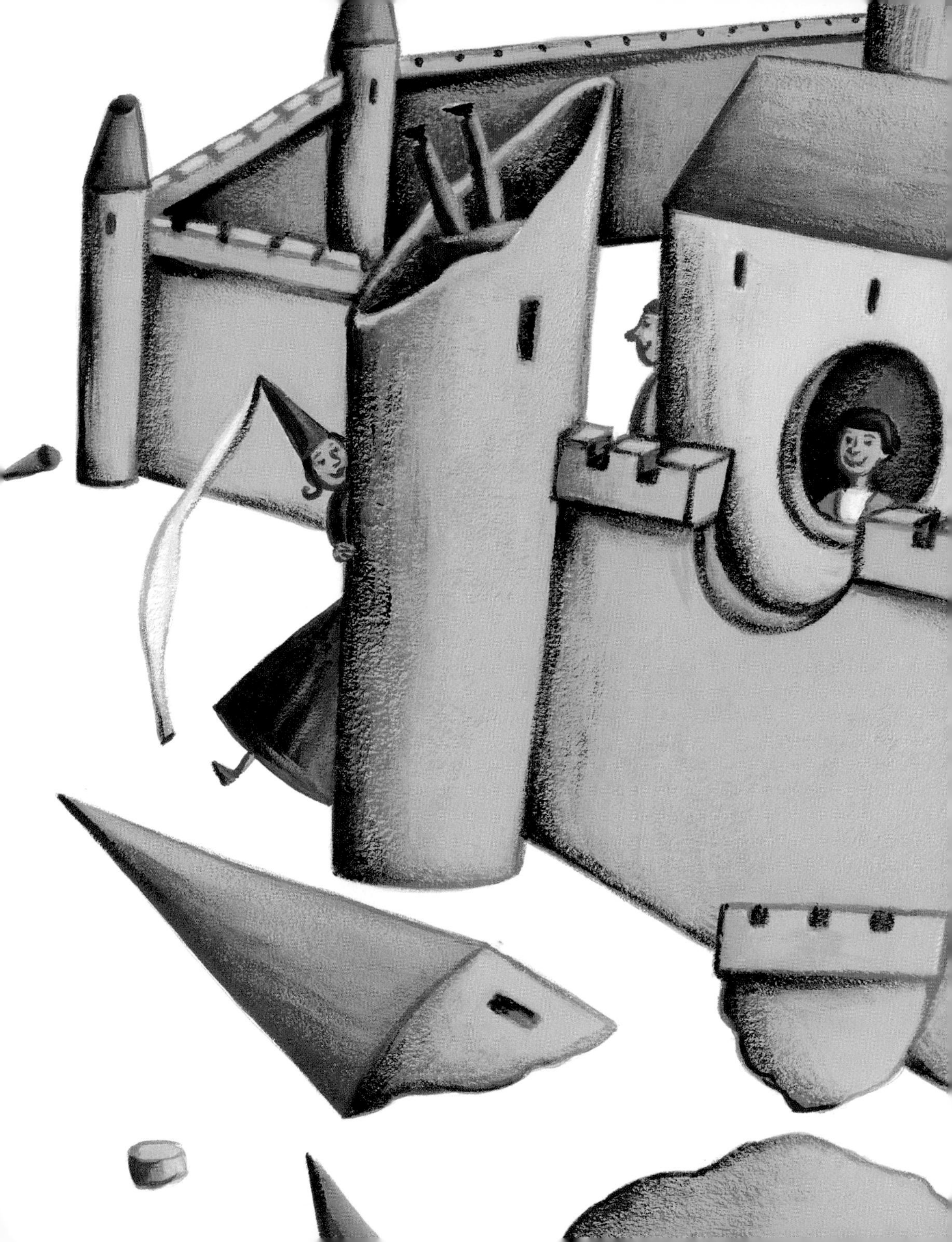

# Bonjour, ma cousine

- Bon - jour, ma cou - si - ne. - Bon - jour, mon cou - sin ger - main; On m'a dit que
vous m'ai - miez, Est - ce bien la vé - ri - té? - Je n'm'en sou - cie guè - re. Je n'm'en sou - cie
guè - re. Pas - sez par i - ci et moi par là, Au r'voir, ma cou - sine, et puis voi - là!

***Les couples, formés d'une fille et d'un garçon, placés face à face, forment une ronde.***

| | |
|---|---|
| – Bonjour, ma cousine. | *Les garçons saluent les filles.* |
| – Bonjour, mon cousin germain ; | *Les filles saluent les garçons.* |
| On m'a dit que vous m'aimiez,<br>Est-ce bien la vérité ? | *Les filles pointent l'index vers les garçons en balançant celui-ci de haut en bas.* |
| – Je n'm'en soucie guère. (*bis*) | *Les garçons hochent la tête de droite à gauche.* |
| Passez par ici et moi par là,<br>Au r'voir, ma cousine, et puis voilà ! | *Chacun fait un pas de côté et change de partenaire en saluant celui qu'il quitte.* |
| | *Et on recommence.* |

# Le chevalier du guet

Qu'est-ce qui passe i - ci si tard? Com - pa - gnons de la Mar - jo - lai - ne, Qu'est-ce qui
passe i - ci si tard? Gai, gai, des - sus le quai. C'est le Che - va - lier du guet, Com - pa -
gnons de la Mar - jo - lai - ne, C'est le Che - va - lier du guet, Gai, gai, des - sus le quai.

***On choisit au hasard l'enfant qui sera le chevalier. Les compagnons se placent sur un rang et se tiennent par les bras. Le chevalier leur fait face.***

*Les compagnons*

Qu'est-ce qui passe ici si tard?
Compagnons de la Marjolaine,
Qu'est-ce qui passe ici si tard?
Gai, gai, dessus le quai.

*Les compagnons chantent en avançant et en reculant de quatre pas à chaque ligne.*

*Le chevalier*

C'est le Chevalier du guet,
Compagnons de la Marjolaine,
C'est le Chevalier du guet,
Gai, gai, dessus le quai.

*Le chevalier chante seul son couplet en faisant les mêmes pas.*

*Les compagnons*

Que demande le Chevalier?…

*On continue ainsi jusqu'à « Choisissez sur la quantité ».*

*Le chevalier*

Une fille à marier…

*Les compagnons*

Repassez sur les onze heures…

*Le chevalier*

À onze heures y'a des voleurs…

*Les compagnons*

Repassez vers les minuit…

*Le chevalier*

À minuit, y'a des souris…

*Les compagnons*

Choisissez sur la quantité…

*Le chevalier choisit alors une fille qui va le rejoindre. Ils s'enfuient tous les deux, poursuivis par les autres joueurs. Le premier qui attrape l'un ou l'autre des fuyards devient chevalier.*

# Trois fois passera

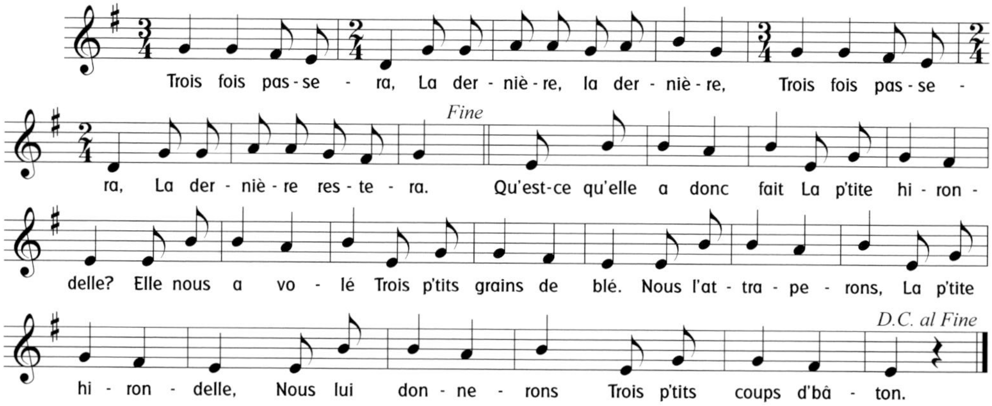
Trois fois pas - se - ra, La der - niè - re, la der - niè - re, Trois fois pas - se -
Fine
ra, La der - niè - re res - te - ra. Qu'est-ce qu'elle a donc fait La p'tite hi - ron -
delle? Elle nous a vo - lé Trois p'tits grains de blé. Nous l'at - tra - pe - rons, La p'tite
D.C. al Fine
hi - ron - delle, Nous lui don - ne - rons Trois p'tits coups d'bâ - ton.

*Refrain*

**Trois fois passera,**
**La dernière, la dernière,**
**Trois fois passera,**
**La dernière restera.**

*Deux enfants, face à face, joignent leurs mains et les lèvent de façon à former une arche. Les autres, se tenant par la main, passent sous cette arche.*

*Sur la syllabe «ra», les quatre bras formant une arche se baissent pour retenir l'un des membres de la farandole. Les deux premiers le tirent à l'écart et lui posent une question (par exemple: «Bleu ou rouge?») pendant que les autres chantent un couplet. Selon sa réponse, l'enfant va se placer derrière l'un ou l'autre des deux premiers, puis on recommence le jeu jusqu'à ce que tous les enfants aient été choisis.*

Qu'est-ce qu'elle a donc fait
La p'tite hirondelle?
Elle nous a volé
Trois p'tits grains de blé.

Nous l'attraperons,
La p'tite hirondelle,
Nous lui donnerons
Trois p'tits coups d'bâton.

*Refrain*

*À la fin, les deux chaînes ainsi formées tirent chacune de leur côté. L'équipe gagnante est celle qui réussit à briser la chaîne de l'autre.*

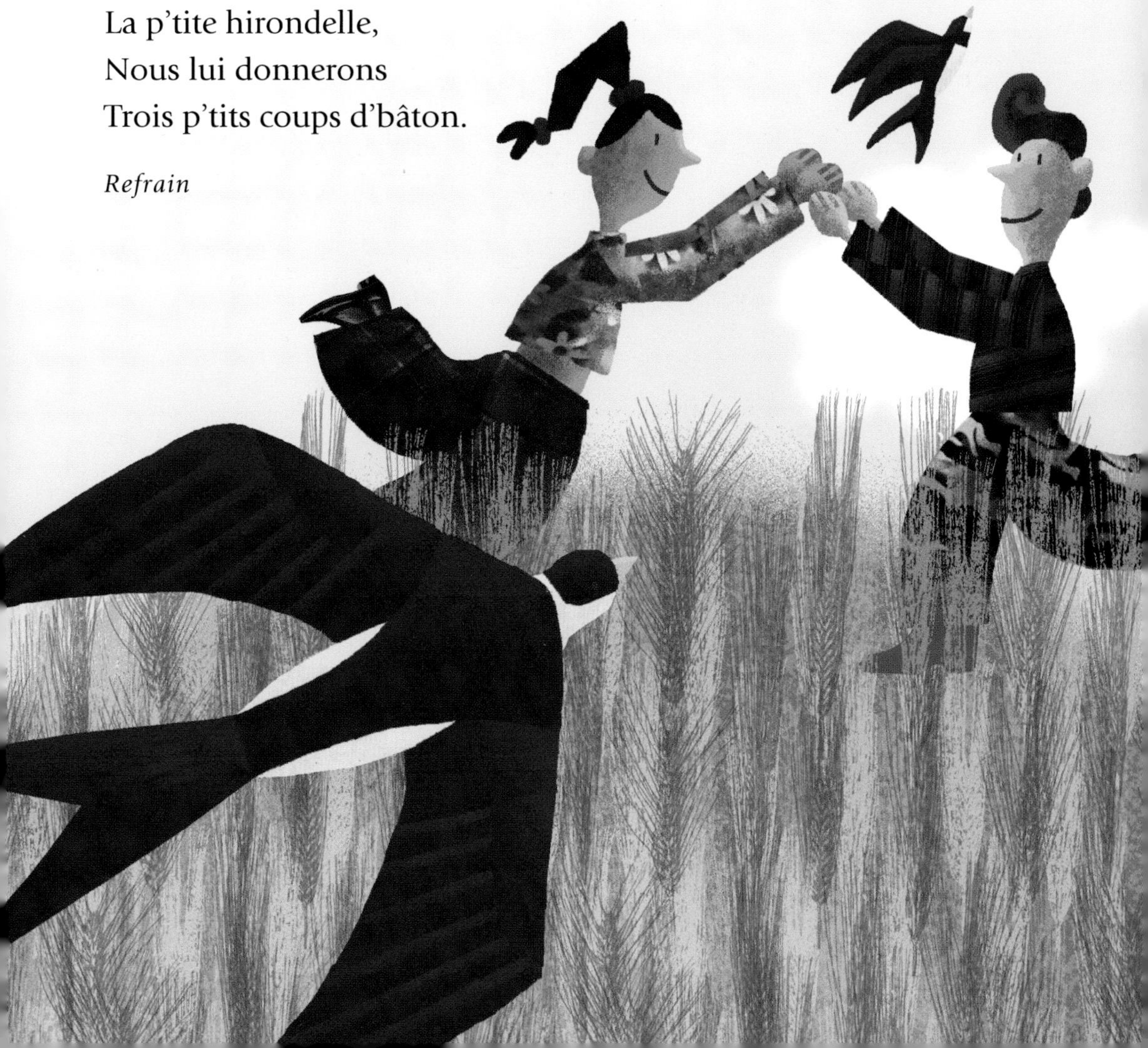

# Promenons-nous dans les bois

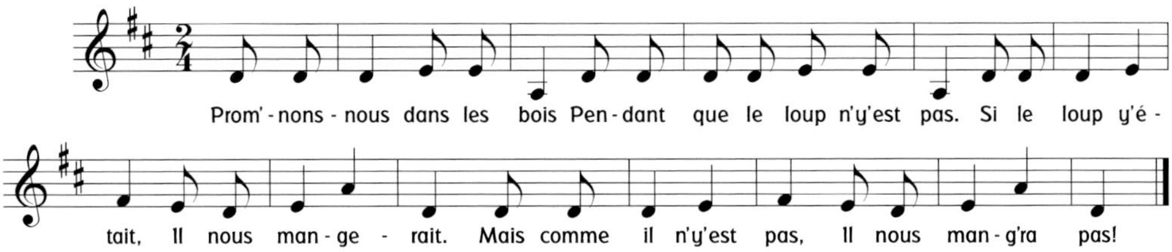
Prom' - nons - nous dans les bois Pen - dant que le loup n'y'est pas. Si le loup y'é -
tait, Il nous man - ge - rait. Mais comme il n'y'est pas, Il nous man - g'ra pas!

***On désigne un « loup » qui va se cacher non loin du groupe. Tous les autres se mettent en rang en se tenant par les bras.***

*Refrain (tous)*

**Prom'nons-nous dans les bois**
**Pendant que le loup n'y'est pas.**
**Si le loup y'était,**
**Il nous mangerait.**
**Mais comme il n'y'est pas,**
**Il nous mang'ra pas!**
**Loup, y'es-tu?**
**Que fais-tu?**
**Entends-tu?**

*La file se promène au rythme de la chanson.*

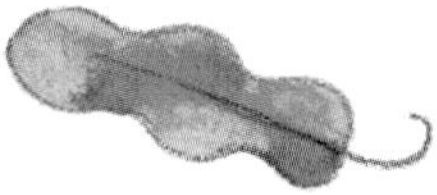

*La file s'arrête pour poser les questions.*

*Le loup*
Je mets ma chemise!

*Voix grave du loup qui répond tout en faisant les gestes décrits.*

*Refrain (tous)*

*On continue ensuite la promenade.*

… ma culotte!
… ma veste!
… mes chaussettes!
… mes bottes!
… mon chapeau!
… mes lunettes!
… (etc.)

*Et ainsi de suite…*

*Dernière réplique du loup:*
J'arrive!

*Le loup sort de sa cachette.*

*Tous*
Sauvons-nous!

*C'est un sauve-qui-peut général. Le loup amène avec lui ceux qu'il réussit à attraper dans un temps donné. Et on recommence!*

# Chansons pour rire

# As-tu vu la casquette?

As - tu vu la cas - quet - te, la cas - quet - te?
As - tu vu la cas - quette du Père Bu - geaud?

As-tu vu la casquette, la casquette?
As-tu vu la casquette du Père Bugeaud?

Oui, j'ai vu la casquette, la casquette,
Oui, j'ai vu la casquette du Père Bugeaud.

Elle est faite, la casquette, la casquette,
Elle est faite de poils de chameaux.

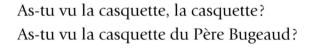

# Do, ré, mi, fa, sol, la, si, do

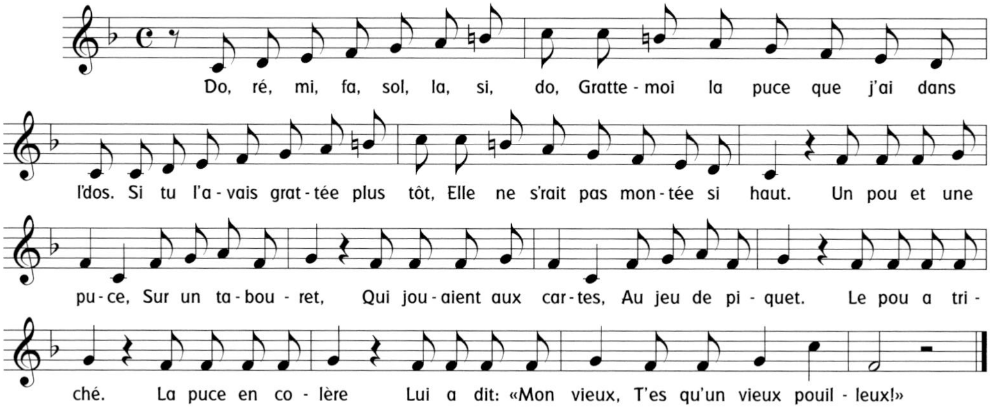
Do, ré, mi, fa, sol, la, si, do, Gratte-moi la puce que j'ai dans
l'dos. Si tu l'a-vais grat-tée plus tôt, Elle ne s'rait pas mon-tée si haut. Un pou et une
pu-ce, Sur un ta-bou-ret, Qui jou-aient aux car-tes, Au jeu de pi-quet. Le pou a triché. La puce en co-lère Lui a dit: «Mon vieux, T'es qu'un vieux pouil-leux!»

*Refrain*

**Do, ré, mi, fa, sol, la, si, do,**
**Gratte-moi la puce que j'ai dans l'dos.**
**Si tu l'avais grattée plus tôt,**
**Elle ne s'rait pas montée si haut.**

Un pou et une puce,
Sur un tabouret,
Qui jouaient aux cartes,
Au jeu de piquet.
Le pou a triché.
La puce en colère
Lui a dit: «Mon vieux,
T'es qu'un vieux pouilleux!»

# La bonne aventure

Je suis un pe - tit gar - çon De bon - ne fi - gu - re Qui ai -
me bien les bon - bons Et les con - fi - tu - res. Si vous vou - lez m'en don - ner, Je sau -
rai bien les man - ger. La bonne a - ven - ture, oh! gué! La bonne a - ven - tu - re.

Je suis un petit garçon
De bonne figure
Qui aime bien les bonbons
Et les confitures.
Si vous voulez m'en donner,
Je saurai bien les manger.
La bonne aventure, oh! gué!
La bonne aventure.

Lorsque les petits garçons
Sont gentils et sages,
On leur donne des bonbons,
De belles images.
Mais quand ils se font gronder,
On n'a rien à leur donner.
La triste aventure, oh! gué!
La triste aventure.

Je serai sage et bien bon
Pour plaire à ma mère.
Je saurai bien mes leçons
Pour plaire à mon père.
Et s'ils veulent m'embrasser
Je veux bien les contenter.
La bonne aventure, oh! gué!
La bonne aventure.

# La serpette

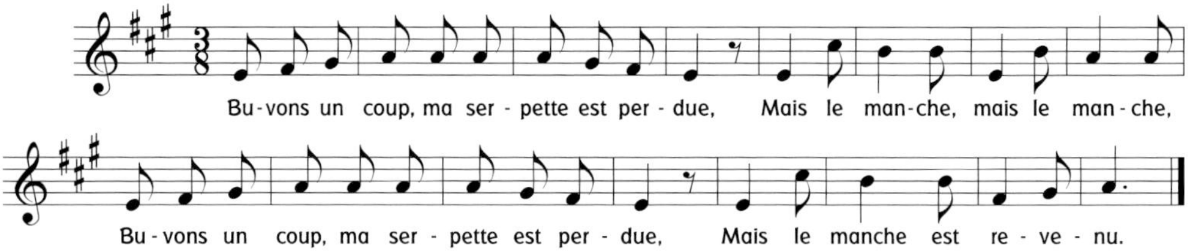
Bu-vons un coup, ma ser - pette est per - due, Mais le man-che, mais le man-che,
Bu - vons un coup, ma ser - pette est per - due, Mais le manche est re - ve - nu.

Buvons un coup, ma serpette est perdue,
Mais le manche, mais le manche,
Buvons un coup, ma serpette est perdue,
Mais le manche est revenu.

Bava za ka, ma sarpatt a parda,
Ma la macha, ma la macha,
Bava za ka, ma sarpatt a parda,
Ma la macha a ravana.

*Et ainsi de suite avec les voyelles ou d'autres sons.*

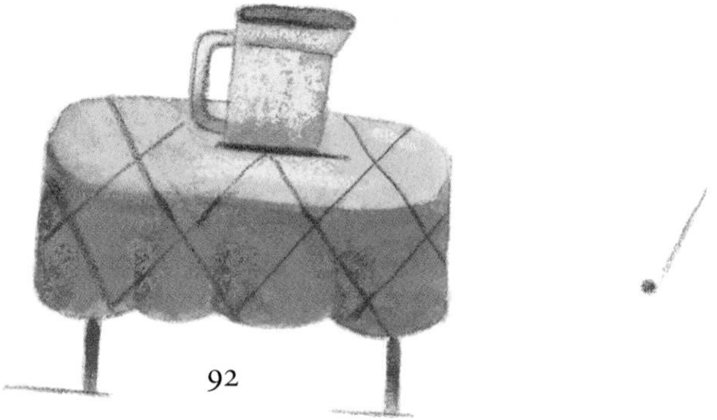

# Marie Calumet

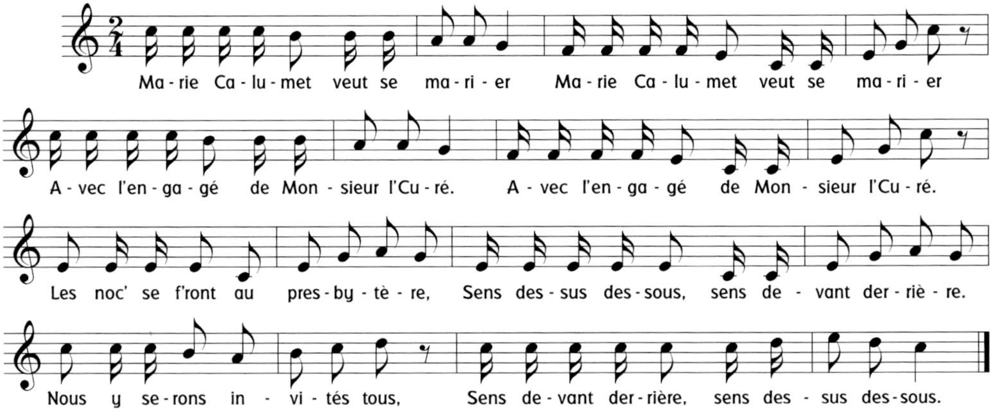
Ma - rie Ca - lu - met veut se ma - ri - er Ma - rie Ca - lu - met veut se ma - ri - er
A - vec l'en - ga - gé de Mon - sieur l'Cu - ré. A - vec l'en - ga - gé de Mon - sieur l'Cu - ré.
Les noc' se f'ront au pres - by - tè - re, Sens des - sus des - sous, sens de - vant der - riè - re.
Nous y se - rons in - vi - tés tous, Sens de - vant der - rière, sens des - sus des - sous.

Marie Calumet veut se marier (*bis*)
Avec l'engagé de Monsieur l'Curé. (*bis*)
Les noc' se f'ront au presbytère,
Sens dessus dessous, sens devant derrière.
Nous y serons invités tous,
Sens devant derrière, sens dessus dessous.

Nous avons eu un bon repas (*bis*)
Muni de bons pâtés d' foie gras ; (*bis*)
Du ragoût de pattes et des tourtières,
Sens dessus dessous, sens devant derrière.
Il y en avait pour tous les goûts,
Sens devant derrière, sens dessus dessous.

On s'amusa, jeunes et vieux (*bis*)
Grâce à Baptiste, le violoneux. (*bis*)
On a dansé, la belle affaire!
Sens dessus dessous, sens devant derrière.
Le violoneux était à bout,
Sens devant derrière, sens dessus dessous.

# Si tu veux faire mon bonheur

Si tu veux faire mon bon - heur, Mar-gue - ri - te, Mar-gue - ri - te, Si tu veux faire mon bon-
heur, Mar - gue - ri - te, donne - moi ton cœur. Mar - gue - rite me l'a don - né, Son p'tit
cœur, son p'tit cœur, Mar - gue - rite me l'a don - né, Son p'tit cœur pour un bai - ser.

Si tu veux faire mon bonheur,
Marguerite, Marguerite,
Si tu veux faire mon bonheur,
Marguerite, donne-moi ton cœur.

Marguerite me l'a donné,
Son p'tit cœur, son p'tit cœur,
Marguerite me l'a donné,
Son p'tit cœur pour un baiser.

# Mêlons nos voix

# C'est la cloche du vieux manoir

Voix 1
Voix 2
C'est la clo-che du vieux ma- noir, — Du vieux ma - noir, Qui son - ne le re -
Voix 3
tour du soir, Le re - tour du soir. Ding, dong, ding! Dong!

C'est la cloche du vieux manoir,
Du vieux manoir,
Qui sonne le retour du soir,
Le retour du soir.
Ding, dong, ding!
Dong!

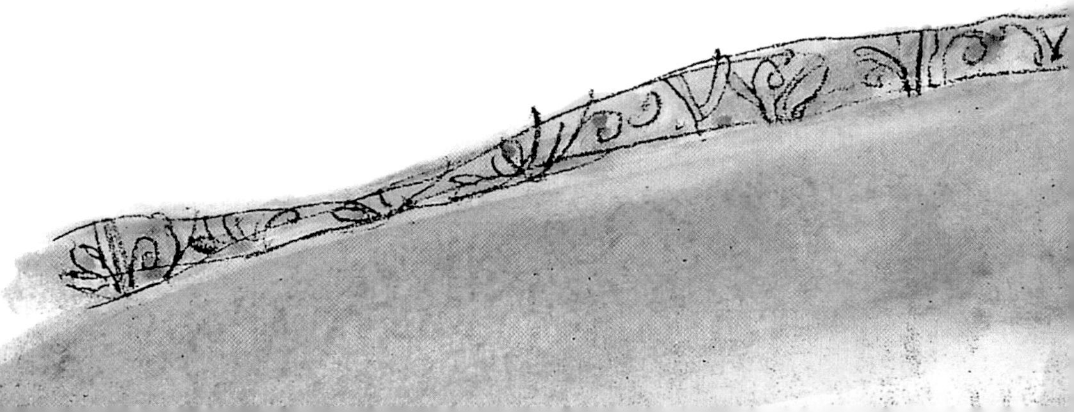

# Dans la forêt lointaine

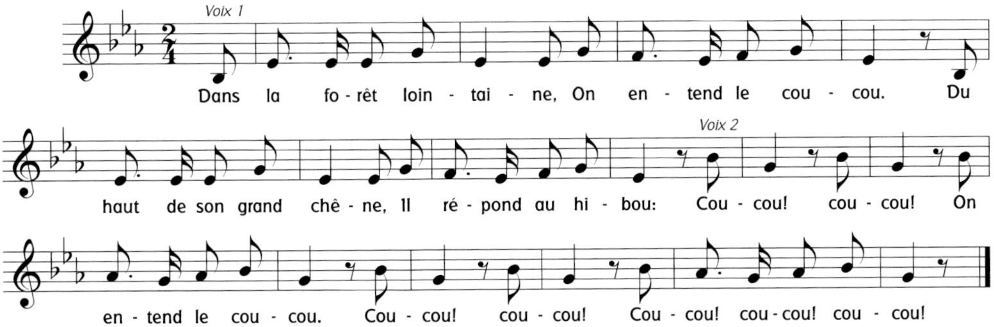
Voix 1
Dans la fo - rêt loin - tai - ne, On en - tend le cou - cou. Du
Voix 2
haut de son grand chê - ne, Il ré - pond au hi - bou: Cou - cou! cou - cou! On
en - tend le cou - cou. Cou - cou! cou - cou! Cou - cou! cou - cou! cou - cou!

Dans la forêt lointaine,
On entend le coucou.
Du haut de son grand chêne,
Il répond au hibou:
Coucou! coucou!
On entend le coucou.
Coucou! coucou!
Coucou! coucou! coucou!

# Frère Jacques

Voix 1
Frè - re Jac - ques, Frè - re Jac - ques,
Voix 2
Dor - mez - vous? Dor - mez - vous?
Voix 3
Son - nez les ma - ti - nes, Son - nez les ma - ti - nes,
Voix 4
Ding, dang, dong! Ding, dang, dong!

Frère Jacques, (*bis*)
Dormez-vous? (*bis*)
Sonnez les matines, (*bis*)
Ding, dang, dong! (*bis*)

Laudes
1 coup
Matines
6 coups
Vêpres
12 coups
Complies
4 coups
Z Z Z

# Gens de la ville

Voix 1
Gens de la vil - le qui ne dor - mez guè - re, Gens de la
vil - le qui ne dor - mez pas.
Voix 2
C'est à cause des chats que vous ne
dor - mez guè - re, C'est à cause des chats que vous ne dor - mez pas.
Voix 3
C'est les chats, c'est les chats. C'est les chats, c'est les chats.

Gens de la ville qui ne dormez guère,
Gens de la ville qui ne dormez pas.
C'est à cause des chats que vous ne dormez guère,
C'est à cause des chats que vous ne dormez pas.
C'est les chats, c'est les chats. (*bis*)

# Jean-Pierre de bonne heure

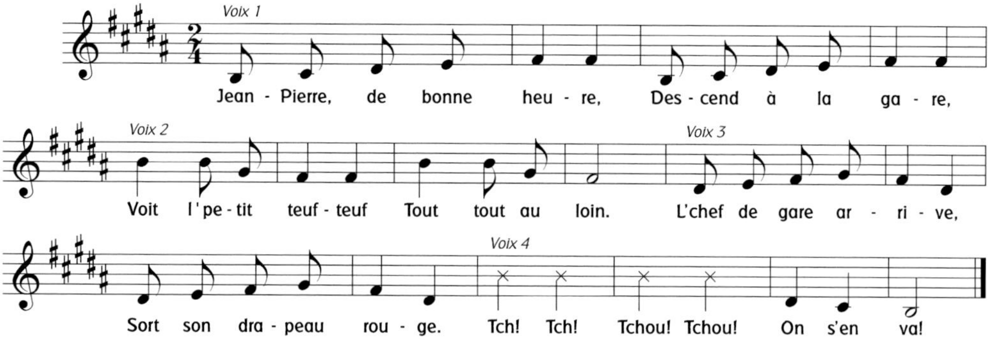
Voix 1
Jean - Pierre, de bonne heu - re, Des - cend à la ga - re,
Voix 2
Voit l'pe - tit teuf - teuf Tout tout au loin.
Voix 3
L'chef de gare ar - ri - ve,
Sort son dra - peau rou - ge.
Voix 4
Tch! Tch! Tchou! Tchou! On s'en va!

Jean-Pierre, de bonne heure,
Descend à la gare,
Voit l'petit teuf-teuf
Tout tout au loin.
L'chef de gare arrive,
Sort son drapeau rouge.
Tch ! Tch ! Tchou ! Tchou !
On s'en va!

# Le carillonneur

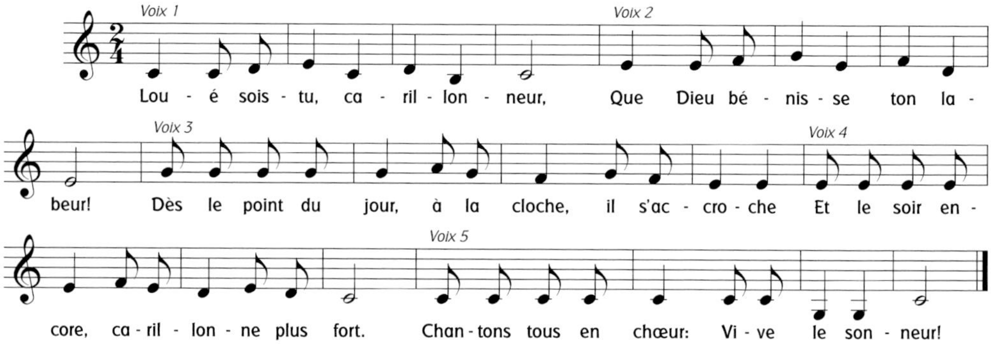
Voix 1
Lou - é sois - tu, ca - ril - lon - neur,
Voix 2
Que Dieu bé - nis - se ton la -
beur!
Voix 3
Dès le point du jour, à la cloche, il s'ac - cro - che
Voix 4
Et le soir en -
core, ca - ril - lon - ne plus fort.
Voix 5
Chan - tons tous en chœur: Vi - ve le son - neur!

Loué sois-tu, carillonneur,
Que Dieu bénisse ton labeur!
Dès le point du jour, à la cloche, il s'accroche
Et le soir encore, carillonne plus fort.
Chantons tous en chœur:
Vive le sonneur!

# Y'a une pie

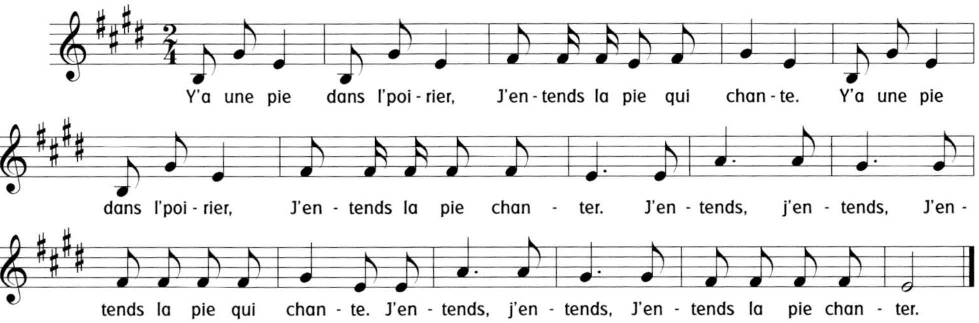
Y'a une pie dans l'poi - rier, J'en - tends la pie qui chan - te. Y'a une pie
dans l'poi - rier, J'en - tends la pie chan - ter. J'en - tends, j'en - tends, J'en -
tends la pie qui chan - te. J'en - tends, j'en - tends, J'en - tends la pie chan - ter.

Y'a une pie dans l'poirier,
J'entends la pie qui chante.
Y'a une pie dans l'poirier,
J'entends la pie chanter.
J'entends, j'entends,
J'entends la pie qui chante.
J'entends, j'entends,
J'entends la pie chanter.

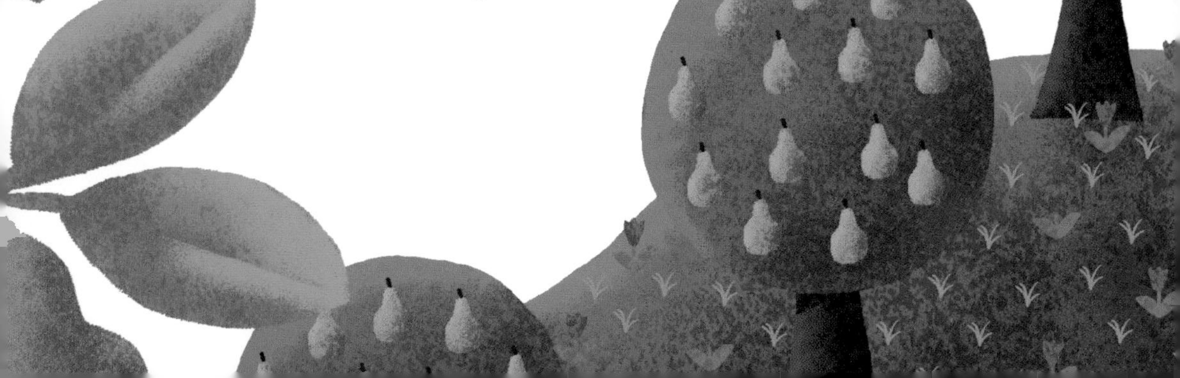

# À propos des chansons et des rondes pour s'amuser

## FAISONS LA RONDE

### Page 12 Nous n'irons plus au bois

Ronde très populaire à la cour de Versailles au XVIIIe siècle. Elle puise probablement à des rites sacrés anciens.

### Page 16 Ah ! si mon moine

La chanson fait allusion à la fois à un religieux et à la toupie en bois appelée « moine ».

### Page 21 La boulangère

Cette ronde date du début du XVIIIe siècle. C'était à l'origine une chanson grivoise, et sa musique servait d'accompagnement pour danser des quadrilles.

### Page 28 Les gars de Locminé

Ronde originaire de Bretagne. Les maillettes sont de gros clous dont les cordonniers garnissaient les semelles.

Page 31 **Meunier, tu dors**

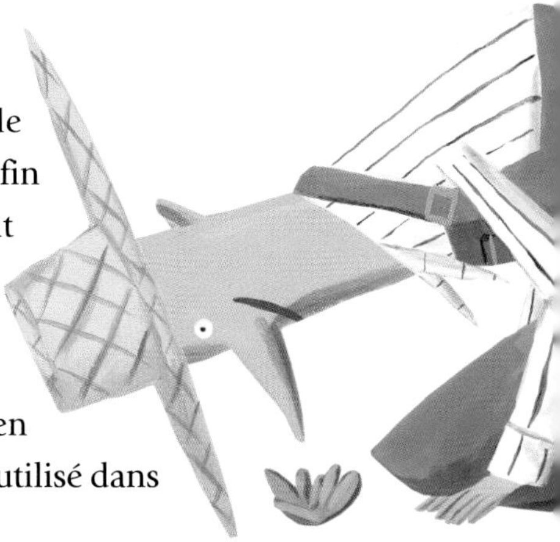

Chanson datant du début du XVIIIe siècle. Elle faisait allusion à une bergère qui s'endormait afin d'être mieux séduite. On en a par la suite fait une version pour enfants.

Page 34 **Savez-vous planter les choux ?**

Avant l'introduction de la pomme de terre en Europe, en 1773, le chou était le légume le plus utilisé dans la cuisine populaire.

## CHANSONS À MIMER

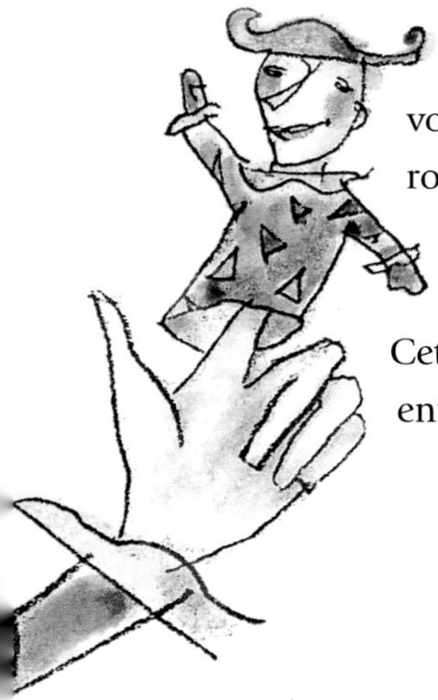

Page 43 **Ainsi font, font, font**

Chanson probablement née à l'époque de la grande vogue des théâtres de marionnettes en France, aux environs du XVe siècle.

Page 56 **L'empereur et le petit prince**

Cette chanson répétitive apprend aux jeunes enfants le nom des jours de la semaine.

### Page 62 **Sur le pont d'Avignon**

Le pont d'Avignon a été construit au XIIe siècle. Cette ronde mimée est peut-être aussi très ancienne.

### Page 67 **J'ai un beau château**

Cette ronde d'origine française évoque le Moyen Âge, époque où les seigneurs attaquaient souvent les châteaux de leurs voisins. L'air a été emprunté à une chanson satirique du XVIIIe siècle.

### Page 78 **Promenons-nous dans les bois**

Ce jeu chanté évoque les contes et les fables où le loup est toujours d'une grande férocité. La chanson date du XVIIe siècle.

## CHANSONS POUR RIRE

*Certaines de ces chansons répétitives sont appelées des « scies », car elles évoquent le va-et-vient de cet outil.*

### Page 85 **As-tu vu la casquette ?**

Le maréchal français Bugeaud prit part à la conquête de l'Algérie (1830-1857). Lors d'une attaque en pleine obscurité, il donna ses ordres en bonnet de nuit. Le lendemain, un plaisantin composa cette chanson sur son couvre-chef.

### Page 88 **La bonne aventure**

C'était à l'origine une chanson à boire sur l'air de laquelle on a composé une chanson enfantine.

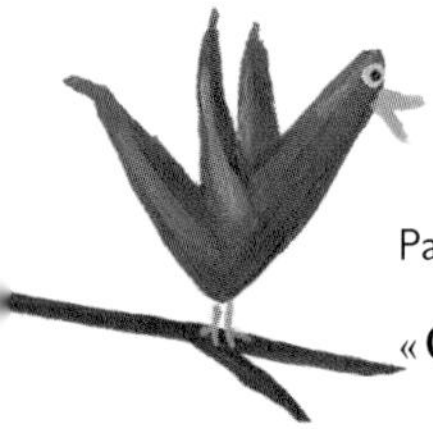

Page 105 **Dans la forêt lointaine**

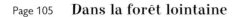

« Coucou » évoque le chant de l'oiseau du même nom.

Page 106 **Frère Jacques**

Certains font remonter cette chanson à la Jacquerie, soulèvement des paysans français contre leurs seigneurs en 1358 ; d'autres la font dater du XVIIe siècle.

Page 112 **Le carillonneur**

Un carillon est un ensemble de cloches accordées à différents tons. On peut, en les sonnant, exécuter un air.

Page 115 **Y'a une pie**

Chanson qu'on croit d'origine normande. Notons qu'en réalité la pie jacasse ; ce n'est pas un oiseau chanteur.

Sources

*Les plus belles chansons du temps passé,* Hachette, 1999.

*Le livre des chansons de France,* Gallimard, 1984.

*Deuxième livre des chansons de France,* Gallimard, 1986.

*Troisième livre des chansons de France,* Gallimard, 1987.

*Nos vieilles chansons,* Gallimard, 1993.

# Index

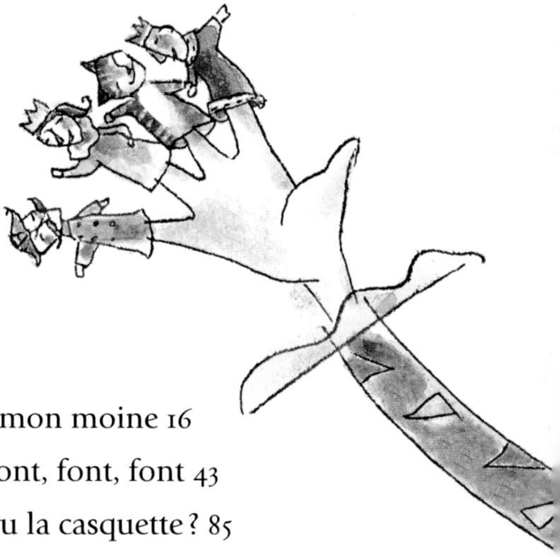

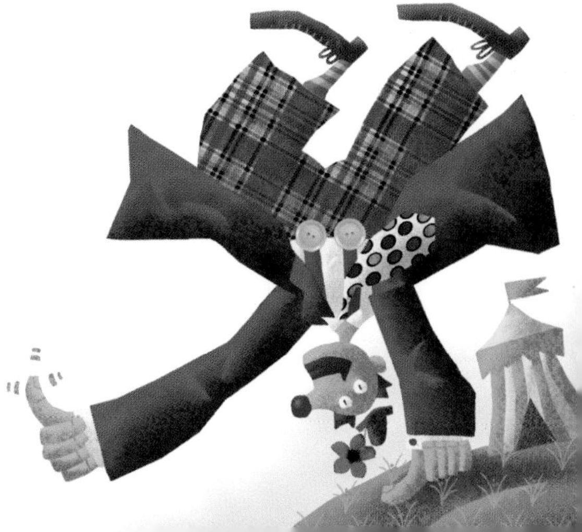

# Table des matières

## Chansons pour rire

## Mêlons nos voix

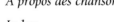

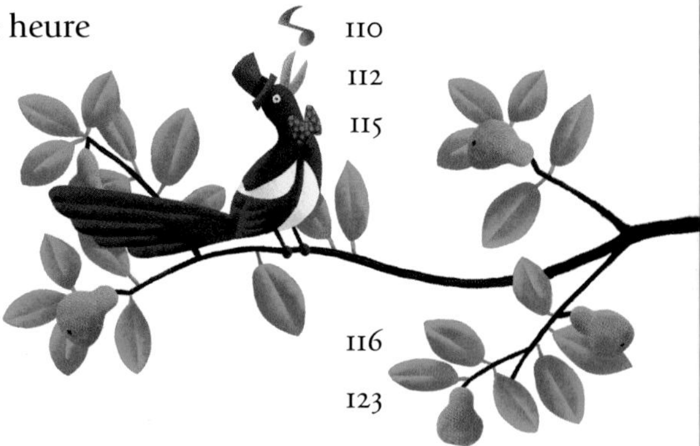